Y CLWB CYSGU CŴL
YN NHŶ FFION

Y CLWB CYSGU CŴL YN NHŶ FFION

HELP, MAE'R TOSTIWR AR DÂN!

Rose Impey

Addasiad Siân Lewis

GOMER

Argraffiad cyntaf—2000
Ail argraffiad—2003

Hawlfraint y testun: © Rose Impey, 1997

ⓗ y testun Cymraeg: Siân Lewis, 2000 ©

ISBN 1 85902 828 4

Teitl gwreiddiol: *The Sleepover Club at Felicity's*

Cyhoeddwyd gyntaf ym Mhrydain yn 1997
gan HarperCollins Publishers Ltd.,
77-75 Fulham Palace Road, Hammersmith
Llundain, W6 8JB

Mae Rose Impey wedi datgan ei hawl dan
Ddeddf Hawlfraint, Dyluniadau a Phatentau 1988
i gael ei chydnabod fel awdur y llyfr hwn.

Dymuna'r cyhoeddwyr gydnabod cymorth
Adrannau Cyngor Llyfrau Cymru.

Argraffwyd gan
Wasg Gomer, Llandysul, Ceredigion SA44 4QL

Gwahoddiad i aros dros nos yn nhŷ
Ffion Sidebotham.

Ei chyfeiriad yw:
11 Clos Ceunant
Brynmelyn
Tregain
Abertawe

Dyddiad: Tachwedd 16
Amser: 7 o'r gloch tan
ar ôl cinio dydd Sul

Cofia ein bod ni'n mynd i ymarfer
coginio ar gyfer y gystadleuaeth.
Hefyd byddwn ni'n ymarfer
Gladiators yn yr ardd gefn!

oddi wrth,

Ffi

CIT CYSGU CŴL

1. Sach gysgu
2. Gobennydd
3. Pyjamas neu ŵn nos (coban i Sara!)
4. Slipers
5. Brws dannedd, pâst dannedd, sebon ac yn y blaen
6. Tywel
7. Tedi
8. Stori iasoer
9. Bwyd ar gyfer y wledd ganol nos. Rhaid i bawb goginio rhywbeth er mwyn i ni gael ymarfer ar gyfer y gystadleuaeth.
10. Tortsh
11. Brws gwallt
12. Pethau gwallt – band gwallt, bòbl, os wyt ti'n eu gwisgo
13. Nicers a sanau glân
14. Dillad glân ar gyfer fory
15. Dyddiadur Clwb Cysgu Cŵl

PENNOD UN

Dere! Lan â ni i fy stafell i. Mae Mam yn glanhau achos mae ymwelwyr yn dod. Rhyw unwaith bob can mlynedd mae Mam yn gafael yn yr hwfer, ond pan weli di hi, rhed am dy fywyd. Mae hi'n beryglus.

Mae Dad yn y gegin yn gwneud pitsa. Wyt ti'n hoffi pitsa? Dwi'n dwlu ar pitsa. Gallwn i fwyta pitsa bob dydd. Erbyn meddwl, dwi yn ei fwyta *bron* bob dydd. Dad yw Pencampwr y Pitsas, ti'n gweld. Dyna pam y cytunodd Mam i'w briodi. Petai'r bechgyn dwi'n 'nabod yn coginio'r pitsas gorau yn y byd mawr crwn, fyddwn i ddim yn eu priodi nhw. Ond 'na fe, dwi ddim yn mynd i briodi. Dim byth.

Does dim un ohonon ni'n hoffi bechgyn, heblaw Ffi, wrth gwrs. Mae rhaid iddi hi hoffi bechgyn achos mae hi'n dwlu ar briodasau. A Rhidian Scott. Iych!

O-o! Mae'r hwfer wedi tawelu a dwi'n clywed llais Mam yn gweiddi.

"Alwen! Gobeithio dy fod ti'n gwneud dy waith cartre."

"Bron â gorffen, Mam."

"Gofala di—neu chei di ddim mynd mas."

"Iawn, Mam."

Gwell i ni siarad yn dawel. Mae Mam yn cadw llygad barcud arna i. Dyw hi ddim wedi dod dros y *Creisis Coginio* eto. Roedd hwnnw mor ddoniol. Anfarwol! Wel, doedd e ddim yn ddoniol i Sam achos fe dorrodd hi ei braich mewn dau le. Ond roedd e'n werth y ffwdan, meddai Sam. Doedd y teulu busneslyd drws nesa i Ffi ddim yn hapus iawn chwaith, ond pwy sy'n poeni amdanyn *nhw*?

Roedd Ffi yn poeni ar y dechrau. Roedd hi mewn panig llwyr. Roedd hi'n meddwl na fyddai ei mam nac Andy byth yn maddau iddi. Ond erbyn hyn mae'r ddau'n gallu chwerthin am ben yr holl helynt.

Ond dyma'r newyddion drwg: chawn ni ddim coginio byth eto! A ti'n gwybod beth mae hynna'n ei olygu. Fyddwn ni ddim yn gallu cymryd rhan yn y Gystadleuaeth Goginio. Un o'r M&Ms fydd yn ennill, gei di weld. Yr M&Ms yw'n gelynion penna ni: Emma Davies ac Emily Mason. Maen nhw yn ein dosbarth ni ac maen nhw'n iych-pych. Ond dyna fe. Fel mae Mam-gu'n dweud, dyw bywyd ddim yn deg, yn enwedig i blant.

Ddwedais i ddim celwydd golau wrth Mam, cofia. Dwi *bron* â gorffen fy ngwaith cartre: 'Y Northmyn yn Abertawe'. Bo-ring! Eistedda fan'na am funud i fi gael gorffen, wedyn fe awn ni draw i dŷ Sam. Ar y ffordd fe ddweda i wrthot ti beth ddigwyddodd yn y cyfarfod diwetha o'r Clwb Cysgu Cŵl. Gei di'r clecs i gyd.

Dere, fe gerddwn ni drwy'r stad newydd. Dyna'r ffordd gyflyma i gyrraedd tŷ Sam.

Sam yw'r un wallgo. Ei henw iawn yw Helen Samuel.

Dwi wedi dweud wrthot ti am Ffi yn barod. Ffion *Sidebotham*. Mae hi'n casáu'r enw.

Falle bydd Mel a Sara yno hefyd, wedyn fe fyddi di wedi cwrdd â phawb: Y Clwb Cysgu

Cŵl cyfan, y Pum Peryglus, fel mae Dad yn dweud.

Ac Alwen ydw i, y fwya peryglus o'r pump. Ieeee! Wel, ambell waith, falle.

Iawn. Ble dylwn i ddechrau? Ar y diwrnod y dwedodd Ffi fod Mel yn dew, siŵr o fod. Waw, roedd Mel wedi gwylltio!

Roedden ni'n eistedd yn ffreutur yr ysgol yn bwyta'n brechdanau. Yn yr ysgol mae'r plant sy'n bwyta brechdanau yn gorfod eistedd ar wahân i'r lleill, rhag ofn y bydd y plant sy'n cael cinio ysgol yn dal rhyw glefyd erchyll—*Clwy Caws Gwallgo* neu *Salwch Samwn Gwenwynig*, falle. Ta beth, 'sdim ots gen i, achos dwi'n llysieuwraig ac mae'n well gen i beidio â gwylio pobl yn bwyta anifeiliaid marw, diolch yn fawr. Sdim ots gan Sam. Mae hi'n dwlu ar gig. Mae hi'n hoffi byrgyrs bîff gwallgo. Iych!

Un diwrnod daeth yr iych-pych M&Ms i eistedd ar bwys Sam pan oedd hi'n bwyta porc. Dwedodd Emily Mason, "Wwww, mae gyda ti ben ôl mochyn ar dy blât." Cododd Sam y plât a'i ddal o dan drwyn Mason a dwedodd, "Arogla fe 'te."

Wel, am Helynt gyda H fawr! Tasgodd y plât ar draws y stafell ac am weddill yr awr ginio fc fuodd y ddwy'n sefyll y tu allan i ddrws Mrs Parry.

Dyna wers i ti: paid byth â digio Sam. Mae hi'n gallu bod yn wyllt.

Ond yn ôl â ni at y stori.

Agorodd Mel ei bocs brechdanau a beth oedd ynddo fo ond Choc-pot. Rwyt ti'n gwybod beth yw Choc-pot, on'd wyt ti? Dwi'n dwlu ar bethau fel'na, ond dyw Mam byth yn eu prynu. Mae hi'n dweud eu bod yn llawn o siwgr ac y bydda i'n diolch iddi pan fydda i'n hanner cant ac yn berchen llond pen o ddannedd. Grêt!

Ond edrychodd Ffi arno a dweud, "Wyt ti'n gwbod sawl calori sy yn hwnna?"

Bo-ring! Mae Ffi bob amser yn pregethu am rywbeth neu'i gilydd. Ar hyn o bryd y pwnc yw *deiet*. Mae hi mor *stiiiiiwpid*. Dwedais i wrth Mam ac fe ffrwydrodd Mam fel roced.

"Mae deiet yn beth gwael iawn i blant. Paid *ti* byth â sôn am rifo calorïau. Mae angen digonedd o fwyd iach ar ferched fel chi sy'n tyfu . . ."

11

"Oes, oes," dwedais. "Dwi'n gwbod. Dwed wrth Ffi. Paid â dweud wrtha i."

Fe wnes i drio dweud wrth Ffi ond wnâi hi ddim gwrando arna i. Wel, ddim ar y dechrau, ta beth. Roedd hi'n gwasgu darnau bach tenau o groen rhwng ei bysedd ac yn dweud, "O, dwi'n mynd yn dew." Rwtsh! Mae hi'n edrych fel un o'r pryfed pric mae Mr Daniel yn eu cadw mewn tanc yn ei ddosbarth. Mae mam Ffi'n denau iawn hefyd, ond mae hithau byth a hefyd yn mynd ar ryw ddeiet dwl ac yn bwyta dim byd ond ffrwythau am wythnos gron. "Sdim rhaid i ti fynd ar y deiet yna," dwedon ni wrth Ffi. "Rwyt ti'n bananas yn barod."

Wel, ar y dechrau chymerodd Mel ddim sylw ohoni, dim ond plannu ei llwy yn y Choc-pot iymi. Ond wedyn dwedodd Ffi, "Fe fyddi di'n mynd yn dewach fyth os bwyti di bethau fel'na, ti'n gwbod."

O-o! Dyna'i gwneud hi nawr.

"Pam ddwedest ti 'yn dewach fyth'?" poerodd Mel. "Dwi ddim yn dew."

Dim ond gwenu wnaeth Ffi ac esgus bod rhywbeth diddorol iawn yn digwydd ar y ford nesa.

"Dwi *ddim* yn dew," meddai Mel eto.

"Wrth gwrs nad wyt ti," dwedais i, a chytunodd Sara. Ond taflodd Mel ei llwy ar y ford a rhoi'r gorau i fwyta.

Aeth pethau o ddrwg i waeth. Am weddill y diwrnod roedd Mel fel tôn gron yn gofyn i bawb, "Wyt *ti'n* meddwl 'mod i'n dew? Wir? Wyt ti? Dwed y gwir yn onest."

Roedden ni *yn* dweud y gwir, ond doedd hynny'n gwneud dim gwahaniaeth. Roedd Ffi wedi ei dychryn hi. Doedd yr M&Ms ddim help. Daethon nhw at ein bwrdd ni a dechrau chwythu eu bochau a rholio'u llygaid fel dau froga mawr. Roedd Mel yn ei dagrau bron iawn.

Y gwir plaen yw, dyw Mel *ddim* mor denau â Ffi a fi. Dwi fel polyn teligraff. Dwi'n ddim byd ond dwylo a choesau a bysedd hir. Gyda llaw, wyt ti'n hoffi'r farnis ar fy ewinedd i? *Arianrhod* yw'r enw. On'd yw e'n sbesial? Ond alla i ddim help 'mod i'n denau. Un fel'na ydw i. Dyw Sam ddim yn arbennig o denau a dyw Sara ddim yn denau nac yn dew. Mae Mel ychydig bach yn fwy crwn, dyna i gyd. Mae gyda hi bantiau bach ciwt yn eu

13

bochau pan mae'n gwenu. Mae gyda hi bantiau yn ei phengliniau hefyd. Dwi'n eu galw nhw'n bengliniau hapus, achos maen nhw'n gwenu arnoch chi.

Ond dyw hi ddim yn dew. Wir, cris-croes, heb os nac oni bai, dyw hi ddim yn dew.

Ond roedd y syniad yn ei phen ac o hynny ymlaen doedd dim posib newid meddwl Mel.

Bob awr ginio am weddill yr wythnos roedd hi a Ffi'n gwneud dim byd ond darllen cefn pecyn creision neu bot iogwrt i weld sawl calori oedd ynddyn nhw. Ro'n i wedi cael hen ddigon. Mae gen i ddiddordeb mewn bwyd, wrth gwrs, ond does gen i ddim diddordeb o gwbl mewn deiet. Mae deiet yn stiwpid. Roedd pethau'n ddigon drwg amser cinio, ond pan oedden ni'n trefnu'r cyfarfod nesa o'r Clwb, aethon nhw dros ben llestri. Dechreuodd Mel a Ffi restru'r bwydydd y gallen ni fwyta a'r rhai na allen ni fwyta yn ein gwledd ganol nos!

"Dim siocled," meddai Ffi, "a dim creision caws. Maen nhw'n drewi o galorïau. Dim popgorn . . ."

Allwn i ddim credu hyn. "O, peidiwch â bod mor dwp!" dwedais.

"Fedrwch chi ddim cael gwledd ganol nos heb siocled," meddai Sara.

"Mae ciwcymber yn iawn," meddai Ffi. "Does dim calorïau mewn ciwcymber."

"O, dew, dew!" meddai Sam.

"Na, denau, denau!" dwedais i.

Dechreuon ni rolio chwerthin. Ond doedd e ddim yn ddoniol o gwbl. Roedd pethau'n gwaethygu.

PENNOD DAU

Mae'r pump ohonon ni'n hoffi bwyd—dyna'r gwir i ti. Bwyd yw ein hoff beth, heblaw am y Clwb ei hun wrth gwrs. Rydyn ni i gyd wedi bod yn ymarfer ar gyfer Noson Goffi'r Adran. Ac roedden ni'n mynd i gael cystadleuaeth goginio. Syniad Nia'r Urdd oedd e. Mae hi a'i chariad yn ffrindiau unwaith eto, felly mae hi mewn hwyliau da ac yn llawn syniadau. Rydyn ni wedi bod yn gwneud pob math o bethau i godi arian at Blant Mewn Angen. Un o'r pethau sy gyda ni ar y gweill yw Noson Goffi, ac er mwyn cael tipyn bach o hwyl, awgrymodd Nia ein bod ni'n cael cystadleuaeth fach.

Heblaw ni'n pump mae'r iych-pych M&Ms yn siŵr o gystadlu, a Deian Dudley hefyd. Does gyda fe ddim gobaith. Dyw e ddim byd tebyg i'r Dudley sy ar y teledu. Pan mae e'n arllwys pop, mae ei hanner yn mynd dros y ford.

Dwedodd Nia, "Fe gewch chi wneud beth fynnwch chi—ond dim ond un peth yr un. Dwi'n fodlon i chi gael tipyn bach o help gartre, ond chi sydd i fod i goginio."

Ro'n i'n gwybod yn union beth fyddwn i'n wneud, ond ddwedais i ddim gair.

"Dwi'n mynd i wneud cacennau iâr-fach-yr-ha gydag eisin menyn," meddai Ffi. "Dwi'n dda am wneud rheiny."

"O-o! Mae Ena wedi dod," meddai Sam. "Beth wyt ti'n mynd i wneud, Ali?"

"Dwi ddim yn dweud," atebais.

"Hei! Sgandal!" meddai Sam. "Mae Ali'n sbïwr. Mae gyda hi wybodaeth ddirgel, ond mae'n pallu dweud gair."

"Cystadleuaeth yw hon, cofiwch," dwedais wrth bawb.

"Wel, os nad wyt *ti'n* dweud, fydda inne ddim yn dweud chwaith," meddai Ffi.

"Rwyt ti wedi deud yn barod," meddai Sara.

"Wel, galla i newid fy meddwl."

A dyma ni i gyd yn gwrthod dweud. A

doedd hynny ddim yn hawdd, achos rydyn ni wedi arfer rhannu pob cyfrinach.

Ta beth, wedi hynny aeth pawb yn holics—coginia-holics. Bob tro ro'n i'n ffonio Sam, doedd gyda hi ddim amser i siarad â fi achos roedd hi yn y gegin yn gwneud y *stecs rhyfedda*, yn ôl Bethan ei chwaer. Ac roedd Ffi yn brolio am y ryseitiau *novel cuisine* roedd hi a'i mam yn paratoi.

"Ydy hynna'n iawn?" dwedais. "Dwi'n siŵr mai *nouvelle cuisine* yw'r enw cywir. Enw Ffrangeg yw e."

"Wel *novel cuisine* mae Mam yn dweud, felly hwnnw sy'n iawn," meddai Ffi.

Cofia hyn am Ffi: mae hi a'i mam bob amser yn iawn.

"Dydy Mam ddim yn rhoi cyfle i fi goginio," cwynodd Sara. "Mae hi'n dweud fod ganddi hi hen ddigon o waith heb orfod poitshian efo fi. Dwi'n gorfod aros nes iddi fynd allan a gofyn i Ems am ganiatâd." Chwaer fawr Sara yw Ems. Mae hi'n bymtheg, bron yn oedolyn. "Dydy o ddim yn deg. Fi sy'n cael y jobsys diflas i gyd—golchi a sychu'r llestri, gofalu am Ian, mynd â'r ci am dro, siopa . . ."

"O druan â ti!" meddai Sam yn bryfoclyd. "Pam na wnei di ffonio *Childline*?"

Ond mae'n wir. Mae Sara'n gweithio'n galed gartre, yn enwedig gydag Ian, ei brawd, sy mewn cadair olwyn ac sy angen tipyn o help llaw.

"O, mae Mam yn fodlon i fi wneud unrhyw beth," meddai Ffi. Roedd hi'n brolio eto! "Dwi'n cael gwneud beth bynnag fynna i. Ond fy hoff rysáit yw . . ." Yna fe wenodd hi ei gwên fwya stiwpid. "W! Bues i bron â dweud a sarnu'r gyfrinach."

Ro'n i'n gwybod yn iawn mai pryfocio oedd hi, felly chymerais i ddim tamaid o sylw.

Ac fe lwyddais i i gadw fy nghyfrinach am wythnos, sy'n record. Ond fe alla i ddweud wrthot ti. Dyw e ddim yn gyfrinach nawr ta beth. Ro'n i'n mynd i wneud pitsa. A dweud y gwir, allwn i ddim meddwl am unrhyw beth arall. Pitsas a chrempogau yw'r unig bethau mae Dad yn eu coginio. A dyw Mam ddim yn coginio rhyw lawer o gwbl. Mae hi'n dweud ei bod hi'n beryg yn y gegin. Mae'r ddau ohonyn nhw'n gweithio oriau mor hir, does gyda nhw ddim llawer o amser i goginio.

Ond rydyn ni'n bwyta bwyd heblaw pitsa a chrempog. Rydyn ni'n prynu pob math o fwyd blasus o'r archfarchnad. Mae Mam yn dweud y dylen ni gael siârs yn Marks & Spencer.

Mae Dad yn dweud mai fi yw pencampwr y byd am ail-dwymo bwyd. "Falle sgrifenna i lyfr ar y pwnc," meddai. "Mae'n waith medrus iawn, cofiwch."

Mae e'n gwisgo ffedog Mam ac yn rhoi gwers goginio i ni. Mae e'n dechrau gyda "Y ffordd orau i agor y pecyn" ac yn gorffen gyda "Sut i weini'r bwyd ar y plât". Mae e mor ddwl. Ond mae Mam yn dweud, "Gad dy ddwli. Darllena'r pecyn a dilyna'r cyfarwyddiadau. Mae rhai ohonon ni'n llwgu."

Mae mam Sam yn gwneud lot fawr o goginio. Dyna un rheswm pam dwi wrth fy modd yn mynd i dŷ Sam. Galli di arogli'r bwyd o'r drws. Aaaa, Bisto! Ti'n gwybod be dwi'n feddwl?

Ond ar ôl i Ffi a Mel ddechrau rhifo calorïau, collodd pawb ddiddordeb yn y gystadleuaeth. Bob tro roedd sôn am fwyd, roedden ni'n clywed yr un hen stori. Nes i fi gael ysbrydoliaeth.

Roedden ni'n eistedd wrth ein bord yn yr ysgol tra oedd Mrs Roberts yn marcio'r gofrestr.

"Mae gen i syniad gwych!" dwedais.

"Gwich, gwich! Mae Ali'n llygoden," meddai Sam.

"Sh! Gwranda. Dewch i ni i gyd goginio rhywbeth ar gyfer y Clwb nos Wener. Bydd e'n gyfle i ni ymarfer. Gallwn ni i gyd wneud rhywbeth ar gyfer y wledd ganol nos."

"Syniad da, Batman," meddai Sam. Cytunodd y lleill i gyd.

"Ie, ffantastig," meddai Ffi. "Alla i ddim aros i weld beth yw cyfrinach fawr Ali." Ac edrychodd arna i'n slei o gil ei llygad.

"Dwi'n gwbod beth mae hi'n goginio," meddai Sam. "Pitsa."

Ro'n i'n holics. Sut oedd hi'n gwybod?

"O, ie," meddai Ffi. "Pitsa Poblogaidd Tomos."

Doeddwn i ddim yn hoffi'r tinc bach cas yn ei llais hi. Eiddigeddus oedd hi, wrth gwrs, ond dwi'n falch iawn o pitsas Dad a doeddwn i ddim eisiau iddi hi wneud hwyl am eu pennau.

"O! A rwyt ti'n mynd i goginio rhywbeth heb ddim un *calori*, wyt ti?" atebais yn ffyrnig.

"Fyddi di ddim yn gwneud cacennau iâr-bach-yr-ha gydag eisin menyn 'te," meddai Sam.

"O na fydd," dwedais. "Maen nhw'n drewi o galorïau."

Cochodd Ffi at ei chlustiau. Doedd hi ddim wedi meddwl am hynny.

"Wel, mae digon o bethau blasus sy ddim yn drewi o galorïau, on'd oes e, Mel?"

Suddodd ysgwyddau Mel. Yn amlwg fedrai hi ddim meddwl am un.

Dechreuodd y lleill siarad am eu bwydydd nhw, ond caeais i 'ngheg. Ro'n i'n grac iawn fod Sam wedi datgelu 'nghyfrinach i. Ond roedd hi'n rhy hwyr i newid fy meddwl. Doedd dim dewis ond gwneud pitsa. Roedd Dad wedi addo fy nysgu i ac roedden ni wedi cael cwpwl o wersi'n barod. A dweud y gwir, roedden ni wedi trefnu i gael gwers ddydd Gwener cyn mynd i dŷ Ffi.

Dyna pryd y penderfynais i siarad â Mam am yr hen ddeiet dwl.

PENNOD TRI

Roedd Dad a fi'n coginio yn y gegin. Roedd Mam yn golchi'r llestri. Roedden ni wedi gwneud y toes ar gyfer y pitsa ac roedd e'n dal i godi, felly roedden ni'n torri tafelli o gaws i'w rhoi ar y top. Roedden ni'n gwneud pitsas pedwar-caws, fy ffefryn, ac ro'n i wedi gofyn i Dad a allwn i fynd ag un i'r wledd ganol nos.

"Pitsas ganol nos?" meddai Dad. "Byddwch chi i gyd yn sâl!"

"Gobeithio na fyddan nhw," meddai Mam, "neu bydd Mo yn 'i dweud hi."

Mam Ffi yw Mo ac mae ei thŷ fel pìn mewn papur.

"Fyddwn ni ddim yn sâl," dwedais.

"Iawn," meddai Dad. "Gwell i ni wneud

pitsa enfawr i fwydo'r pump cwcw. Welais i 'rioed ferched yn bwyta cymaint."

"Mam," dwedais. "Wyt ti'n meddwl fod Mel yn dew?"

"Yn dew!" meddai. "O, Alwen, paid â bod mor ddwl."

"Dwedodd Ffi wrth Mel ei bod hi'n mynd yn dew a nawr dyw hi'n gwneud dim ond siarad am galorïau a deiet a theiar sbâr a phethau fel'na."

"Dwi wedi dweud wrthot ti o'r blaen," meddai Mam. "Mae deiet yn beth gwael iawn. Yn enwedig i blant ar eu prifiant. Dwi'n siŵr y byddai mam Meleri'n grac iawn petai hi'n gwybod. Dylai fod gyda chi ferched fwy o synnwyr."

"Mae *gyda* fi," dwedais.

"Mae pobl yn wahanol," meddai Dad. "Dyw pawb ddim i fod yn denau."

"Dwi'n gwbod," dwedais. "Bai Ffi oedd e. Wnes i ddim byd."

"Wel, mae'n rhaid i ti wneud rhywbeth nawr, Alwen, achos dy ffrindiau di ydyn nhw. Rhaid i *ti* siarad â nhw a setlo'r mater."

Does dim dadlau â Mam. Ambell waith

mae hi'n meddwl 'mod i'n gallu gwneud popeth yn y byd mawr crwn. Mae'n gwneud i fi deimlo'n od.

'Ocê. Mae'n bryd i ni ymestyn y toes," meddai Dad.

Dyna'r darn gorau—swingio'r toes dros dy ddyrnau. Bril. Mae bron cystal â thaflu crempogau. Mae Dad yn bencampwr. Dwi ddim eto; mae fy mysedd yn mynd drwyddo fel arfer.

"Mae eisiau i ti gael digon o ymarfer," meddai Dad.

"O, dwi mor falch!" meddai Mam. Ar y pryd roedd hi bron â diflannu y tu ôl i domen o lestri brwnt, felly jôc oedd e. Dwi'n meddwl!

Yn nes ymlaen, pan oedd y pitsa yn y ffwrn, bues i'n ystyried geiriau Mam. Doedd gen i ddim syniad beth i'w wneud. Roedd angen cynllun arna i. Felly ffoniais i Sam. Dwi bob amser yn ffonio Sam pan fydd gyda fi broblem. Fy nhafod i sy'n cael y syniadau gorau. Ti'n deall be dwi'n feddwl?

"Hai, Sam."

"Haia."

"Helô. Pwy sy 'na?"

"Bethan, rho'r ffôn lawr. Ali sy 'na."

"O, iych *hi*!" Disgynnodd y ffôn gyda chlec.

"Sam, wyt ti yna o hyd?"

"Ydw. Y Bwystfil oedd yn gwrando ar yr estyniad. Mae hi wedi mynd nawr."

"Gwranda, dwi'n poeni am Mel a'r hen ddeiet dwl 'na. Mae rhaid i ni wneud rhywbeth."

"Pa fath o beth?"

"Dwi ddim yn gwbod, ond mae rhaid iddi gallio. Rhaid i ni ddweud wrthi am anghofio am y deiet. Mae hi mor ddiflas nawr. Gallen ni ddweud wrthi ei bod hi'n edrych yn bert fel y mae hi. A rhaid i ni gael Ffi i anghofio am y peth hefyd."

"Iawn. Fe ddwedwn ni wrthyn nhw heno. Dwi'n cytuno. Pobl ddwl sy'n mynd ar ddeiet."

"Mae'n hen bryd i ti golli pwysau oddi ar dy dafod," meddai llais Bethan.

"Mae'n hen bryd i fi dy golli di! Ali, dwi'n mynd. Dwi'n gorfod lladd fy chwaer."

"Ffonia os byddi di eisiau help."

Byddwn i'n hoffi cael chwaer—weithiau. Ond wedyn, beth petawn i'n cael chwaer 'run fath â'r un sy gan Sam? Waw! Dwi mor falch 'mod i'n unig blentyn. Mae hi'n erchyll. Mae gyda ni enw iddi—Bethan Bwystfil. Fe gei di'r hanes rywbryd eto.

Ond yn ôl â ni i'r gegin. Ar ôl iddo oeri paciais i'r pitsa iymi mewn bocs plastig. Wedyn paciais i'r Cit Cysgu Cŵl ac aeth Dad â fi yn y car i dŷ Ffi.

"Mwynha dy hun," meddai pan gyrhaeddon ni.

"Diolch, Dad."

Ond yna fe agorodd y ffenest a gweiddi ar fy ôl i, "O, Ali, cofia gael noson dda o gwsg."

"Iawn, Dad."

Grrr! Ydy dy rieni di fel Mam a Dad? Ydyn nhw'n sôn byth a hefyd am noson dda o gwsg? Dwi ddim yn un sy'n cysgu'n dda, ti'n gweld. Alla i ddim help. Brêns prysur sy gen i, yn ôl Mam-gu. Mae hi'n iawn, dwi'n siŵr, achos mae 'mhen i bob amser yn llawn o bethau sy'n fy nghadw ar ddihun. Mae Dad yn dweud, "Brêns prysur, myn cacen! Mae hi'n rhy fusneslyd: mae hi'n ofni cau ei llygaid rhag ofn y collith hi rywbeth." Mae e mor anghwrtais.

Ond mae cyfarfodydd y Clwb yn wahanol ta beth. Does neb yn cysgu mewn Clwb Cysgu Cŵl! Clwb Aros-ar-Ddihun-Drwy'r-Nos ddylai'r enw fod. Holl bwrpas y clwb yw aros ar ddihun. Ond paid â dweud hynny wrth dy rieni, neu chei di byth aros y nos yn nhŷ dy ffrindiau.

"Fe wna i 'ngorau," gwaeddais. "Bai'r lleill yw e. Nhw sy'n fy nghadw i ar ddihun." A chodais fy llaw gyda gwên mor felys â phitsa pedwar-caws.

PENNOD PEDWAR

Pan ganais i'r gloch, agorodd mam Ffi y drws.

"Helô, Alwen. Tyn dy sgidiau, cariad, wedyn cer lan i'r llofft. Mae pawb arall yno'n barod. Wyt ti am i fi gymryd y bocs?"

"Na, dim diolch, Mrs Sidebotham. Mae darnau bach o pitsa ynddo fe."

"Darnau bach o pitsa i'r wledd ganol nos, ife?" meddai, yn wên i gyd. "Wnei di ddim difetha'r lle, wnei di, cyw?"

Ysgydwais fy mhen a gwenu. Bwyta oedd ein bwriad ni, nid taenu'r pitsa dros y carped. Ond fel dwi wedi dweud wrthot ti, rhaid bod yn ofalus tu hwnt yn nhŷ Ffi. Gwell i fi roi tipyn o hanes Ffi a'i theulu i ti, er mwyn i ti gael deall pam oedd yr hyn a ddigwyddodd nesa yn gymaint o Drychineb gyda D fawr.

Mae Ffi'n byw gyda'i mam a'i brawd

Twm—sy'n saith oed ac yn dipyn o bla—ac Andy, cariad ei mam. Mae ei thad yn byw rownd y gornel gyda'i gariad, ei mab hi a'u babi bach newydd o'r enw Ceri. Mae hi mor *ciwt*.

Petait ti'n mynd i dŷ Ffi, byddet ti'n meddwl ei bod hi'n un o'r crachach, ond dyw hi ddim. Ei mam hi sy'n cadw'r lle mor lân a thwt a thaclus. Ac mor hufennog! Dyna'r peth arall sy'n dy daro di: y lliw hufen. Hufen yw'r soffa, y llenni, y carped hyd yn oed. Felly mae'n rhaid iti dynnu dy sgidiau cyn gynted ag yr ei di i mewn. Ac mae rhaid i ti ofalu na fyddi di'n sarnu rhywbeth, neu'n torri rhywbeth, neu'n baeddu rhywbeth, heblaw dy fod ti yn stafell Ffi neu mas yn yr ardd. Galli di ymlacio fan'ny.

Mae drysau patio enfawr yn y lolfa ac mae'r gegin yn edrych fel rhywbeth mewn hysbyseb deledu. Mae'n disgleirio, mae'n edrych fel newydd a—ti'n iawn—mae popeth yn hufen!

Dyw e ddim byd tebyg i'n tŷ ni. I ddechrau, does 'na ddim pentyrau o bapur ar ford Ffi. Dim llyfrau, dim papurau newydd dros y lle. A dim ci chwaith.

Byddai Ffi'n dwlu cael anifail anwes, ond yr unig un sy gyda hi yw pysgodyn aur o'r enw Bybls. Mae hi'n cael cadw hwnnw achos dyw e ddim yn gollwng blew ar y carped. Na phethau iychi chwaith! Wel, ydy mae e'n gollwng pethau iychi, siŵr o fod, ond maen nhw'n disgyn i waelod y fowlen ac yn aros fan'ny nes i ti newid y dŵr.

Mae mam Ffi yn gweithio gartre. Technegydd harddwch yw hi, yn ôl Ffi. Mae hi'n trin dy groen ac yn tylino dy gorff a phethau fel'na. Mae hi'n rhoi gwersi cadw'n heini ac erobeg hefyd. Plastrwr yw Andy. Dydyn ni ddim yn gweld llawer ohono fe, achos mae e'n gweithio drwy'r amser.

Y peth gorau yn nhŷ Ffi yw'r bàth trobwll gyda Jacuzzi. Mae e'n grêt. Dyfala pa liw yw e! Na, anghywir. Pinc yw e, gyda thapiau aur.

Y peth gwaetha am dŷ Ffi yw'r bobl drws nesa. Y Crincod.

Ni sy'n eu galw nhw'n grincod. Eu henwau iawn yw Charles a Gwendolen Cecil-Jones a Bruno'r babi. Wir i ti, dyna'u henwau. Mae mam Ffi'n gwneud ei gorau i fod yn ffrindiau â nhw, ond maen nhw mor snobyddlyd a maen nhw'n achwyn o fore tan nos.

Os yw Twm yn chwarae yn yr ardd gyda'i ffrindiau, mae'n rhoi pen tost i Mrs Cecil-Jones.

Os yw Ffi'n chwarae tapiau yn ei stafell wely, mae'r miwsig yn deffro Bruno Bach.

Os nad yw Andy'n torri'r clawdd o flaen y tŷ, mae e'n difetha'r olygfa o stafell fyw'r Crincod.

Maen nhw'n wirioneddol iych.

Felly pan fyddwn ni yn nhŷ Ffi, un o'n hobïau ni yw pryfocio'r Cecil-Jonesiaid.

Weithiau rydyn ni'n sbïo arnyn nhw drwy dwll yn y ffens. Mae Mrs Crinc yn dwlu ar dorheulo. Unwaith yn yr haf gwelodd Ffi hi'n borcyn. Wel, dyna beth ddwedodd *hi*, ond alli di ddim credu popeth mae Ffi'n ddweud.

Ein tric diweddara ni yw pryfocio Mr Crinc drwy ddeffro'r larwm car. Fe wnaethon ni hynny sawl gwaith heb gael ein dal, ond y tro diwetha sylweddolodd Mr Crinc beth oedd yn digwydd ac fe gawson ni bregeth hallt. Dwedodd ein bod ni'n ferched drwg iawn ac y bydden ni'n tyfu lan i fod yn fandaliaid. Dim ond deffro'r larwm car wnaethon ni!

Mae gan y Crincod ardd *berffaith* a phwll *perffaith* yn llawn o bysgod drud. Mae Mr Crinc byth a hefyd yn tynnu dail a chwyn o'r dŵr. Mae e hyd yn oed yn torri'r borfa o gwmpas y pwll gyda siswrn. Wir! Mae e wastad yn brolio ei fod e'n meddwl y byd o'r pwll. Felly rydyn ni'n rholio ticedi bws a phapurau losin ac yn eu gwthio drwy'r twll yn y ffens yn y gobaith y byddan nhw'n glanio yn y pwll. Wedyn rydyn ni'n gwylio Mr Crinc yn eu tynnu allan â'i rwyd. Mae e wastad yn edrych yn syn, achos mae e'n methu deall o ble daethon nhw. Rhaid i ni gadw'n dawel, dawel. Petai Mr Crinc yn ein clywed ni'n chwerthin, fe gaen ni bregeth arall.

Ond y tro 'ma fe wnaethon ni rywbeth gwaeth o lawer. Roedd e'n ffantastig. Wnân nhw byth faddau i ni. Dim byth. Rydyn ni wedi pechu'r Crincod nawr.

Ar ôl i fam Ffi agor y drws i fi, es i lan i'r llofft a dyna lle'r oedd y lleill yn eistedd ar wely Ffi. Roedd sachau cysgu dros y lle a bocsys bwyd a phedwar Cit Cysgu Cŵl. Doedd bron dim lle i fi.

"Hai, Ali," meddai Sam. "Dangos be sy gyda ti."

"Pitsa Pedwar-Caws Penigamp Tomos," dwedais gan agor y clawr.

"Mmmmm!" meddai Sam. "Arogl bendigedig." *Bendigedig* yw hoff air Sam.

"Pedwar-caws!" meddai Ffi. "Wyt ti'n sylweddoli sawl calori sy yn hwnna?"

"Paid â dechrau," rhybuddiais.

Dim ond codi ei hysgwyddau wnaeth hi ac edrych ffordd draw.

"Dwi wedi dod â fflapjac," meddai Sam. "Rysáit Mam-gu."

'Fflapjac siwgr-brown. O, Sam, meddylia am y calorïau!" dwedais gan chwerthin.

"Mae Sara wedi dod â bisgedi caws," meddai Sam.

"Rhagor o gaws," mwmianodd Ffi.

"Beth sy gyda ti?" gofynnais i Mel.

Ffi atebodd. "Mae Mel wedi gwneud popgorn a dwi wedi gwneud pwdin lemwn."

Wel, popeth yn iawn 'te. Ond ar ôl yr holl siarad am fwyd, ro'n i bron â llwgu. Allwn i ddim aros tan hanner nos.

"Beth am ddechrau nawr?" dwedais.

"Rwyt ti'n gwybod y rheolau," meddai Ffi.

Mae Ffi'n dueddol o fod yn bòsi ac mae hi'n waeth o lawer pan fyddwn ni'n cwrdd yn ei thŷ hi. Mae hi'n mynnu cadw at y rheolau.

Yn ôl y rheolau rhaid i ni gadw'r bwyd nes ei bod hi'n dywyll a phawb yn y gwely. Anaml iawn ydyn ni'n gallu aros tan hanner nos. Ond dydyn ni ddim yn bwyta'n rhy gynnar chwaith.

"Ta beth," meddai, "dwi eisiau dangos y stafell i Sara."

O-o! Taith o gwmpas stafell Ffi. Bo-ring.

PENNOD PUMP

Newydd ymuno â'r clwb oedd Sara. Doedd hi erioed wedi bod yn nhŷ Ffi o'r blaen, felly roedd *rhaid* i Ffi ddangos popeth iddi, pob peth ar bob silff, y teganau meddal i gyd a phob dilledyn yn y cwpwrdd. Mae llond lle o ddillad gan Ffi ac yn amlwg roedd hi eisiau dangos ei hunan o flaen Sara. Nid yn unig mae gyda hi lond lle o ddillad, ond mae popeth yn hongian neu wedi'i blygu'n dwt, ac wedi'i drefnu yn ôl ei liw. Yn y cwpwrdd mae rhesi o siwmperi, crysau-T, legins a sgertiau o'r un lliw ac mae pob esgid a sandal yn sefyll yn dwt mewn pâr. Mae ei chwpwrdd yn edrych fel cwpwrdd Sindy.

"Wyt ti eisiau benthyg rhywbeth i'w wisgo?" gofynnodd Ffi.

"Wyt ti'n fodlon?" meddai Sara a'i llygaid bron â neidio o'i phen.

"Sdim ots 'da fi,' meddai Ffi. "Gall unrhyw un fenthyg beth bynnag maen nhw eisiau."

Wel, mae hi'n gwybod 'mod i'n rhy dal i wisgo ei dillad hi a dyw Sam ddim yn fodlon gwisgo dim byd ond crys pêl-droed Abertawe. Ond benthycodd Sam dracsiwt Ton-Sur-Ton. Roedd hi'n ffitio achos roedd hi'n hongian ar Ffi.

Roedd Mel yn dawel iawn ac yn edrych yn ddiflas eto. Ro'n i'n deall pam. Dechreuais i feddwl am eiriau Mam a'i chyngor i fi.

"Wyt *ti* eisiau benthyg rhywbeth?" gofynnodd Ffi i Mel.

Ysgydwodd Mel ei phen.

"Fe fyddan nhw'n ffitio cyn hir, os cadwi di ar y deiet," meddai Ffi gyda gwên fach.

"Dwyt ti ddim ar ddeiet go iawn, gobeithio," dwedais i. "Mae deiet yn ddrwg i ti."

"Pobl ddwl sy'n mynd ar ddeiet," meddai Sam.

"Dyw e ddim yn ddeiet go iawn," meddai Mel, ond roedd ei hwyneb yn binc, felly roedden ni'n gwybod ei bod hi'n dweud celwydd.

"Wel, gofala di," dwedais. "Bydd dy fam yn

grac iawn, os clywith hi. Os yw Ffi'n denau, dyw hynna ddim rheswm i ti fod yn denau hefyd. Pobl hanner call sy eisiau edrych fel rhywun arall. Mae pawb yn wahanol. Dylet ti fod yn hapus fel wyt ti. 'Pawb at y peth y bo'—dyna beth mae Mam-gu'n dweud."

"Wwww! Gwrandwch!" meddai Sam. "Mae Ali wedi llyncu geiriadur."

Roedd hi'n dipyn o araith. Roedd pawb yn edrych arna i fel petawn i wedi cael benthyg brêns rhywun arall.

"Mae'n iawn i ti, Ali," meddai Mel. "Rwyt ti'n dal ac yn denau."

"Gwranda," dwedais. "Wyt ti'n meddwl 'mod i eisiau bod mor dal â hyn? Ambell waith mae e'n mynd ar fy nerfau i. Bryd hynny dwi bron â marw eisiau bod yr un taldra â chi. Ond sdim iws achwyn. Dwi'n dal. Does dim alla i wneud."

Roedd fy wyneb i'n fflamgoch a ro'n i'n teimlo fel ffŵl. Ro'n i eisiau diflannu i dwll yn y llawr, ond wedyn dechreuodd Sam bregethu ac roedd popeth yn iawn.

"Ti'n iawn," meddai Sam. "Mae Ali'n iawn. Mae pawb yn wahanol. Ydych chi'n meddwl 'mod i eisiau bod mor bert ag ydw i? Weithiau fe rown i'r byd am gael bod mor blaen ac mor salw â chi. Dyw hi ddim yn hawdd bod yn anhygoel o bert, cofiwch. Ond dwi *yn* bert. A does dim y galla i wneud i newid y sefyllfa."

Roedd hi'n tynnu wynebau ac yn gwenu fel petai hi'n cael tynnu ei llun ar gyfer *Just Seventeen*. Weithiau mae Sam mor stiwpid mae'n gwneud i ni wichian. Roedden ni'n gwichian nawr. Roedd Mel hyd yn oed yn gwenu.

"Rwyt ti'n rhy ddwl i fyw," dwedais. Ac fe daflon ni ein gobenyddion ati.

"O, byddwch yn ofalus!" meddai Ffi. "Falle torrwch chi rywbeth."

Wel, roedd hi'n iawn. Mae ei stafell hi braidd yn fach. Does dim lle yno i chwipio chwannen, heb sôn am chwipio Sam â stwnshi-pwnsh. Stwnshi-pwnsh, gyda llaw, yw sach gysgu sy'n llawn o ddillad a phethau. Mae e fel gobennydd cawr ac rydyn ni'n ymladd ag e. Ond cyn i ni gael cyfle i wneud un, dwedodd Ffi, "Dewch mas i'r ardd."

Felly fe gododd pawb a mynd lawr stâr i chwarae Gladiators ar y lawnt gefn.

"Peidiwch â chadw gormod o sŵn ac ypsetio pobl drws nesa," galwodd mam Ffi. "Chi'n gwybod sut rai ydyn nhw."

"Ydyn, Mam," galwodd Ffi. A gwenodd pawb. Roedden ni'n gwybod yn iawn sut rai oedden nhw. Crincod Crintachlyd.

Mae gardd Ffi'n daclus tu hwnt, 'run fath â'r tŷ. Rydyn ni'n cael chwarae ar y lawnt, ond chawn ni ddim cerdded ar y gwelyau blodau. Mae hynny'n broblem pan fyddwn ni'n cael *cystadlaethau gwthio*.

Dyma sut mae chwarae: yn gyntaf rydyn ni'n dewis partner. Mae un yn gorfod bod yn geffyl a'r llall yn farchog. Os mai ti yw'r marchog, rhaid i ti gydio'n dynn a gwneud dy orau i ddal dy afael. Os mai ti yw'r ceffyl, rhaid i ti ymosod ar y ceffyl arall a'i wthio dros ymyl y lawnt. Chei di ddim defnyddio dy ddwylo o *gwbl* a chei di *ddim* cicio. Yr un heb bartner yw'r reffarî. Hi sy'n gorfod gwneud yn siŵr nad oes neb yn torri'r rheolau a phenderfynu pwy sy'n ennill.

A dweud y gwir, nid hon yw fy hoff gêm. Achos 'mod i gymaint yn dalach na'r lleill, dwi byth yn cael bod yn farchog. Chwarae teg i Sam, fe wnaeth hi drio 'nghario i unwaith neu ddwy, ond dechreuodd ei choesau grynu ac fe gwympon ni.

Felly fi oedd y ceffyl a Sam oedd y marchog. Roedd Ffi ar gefn Mel ac roedden nhw'n gwegian o un ochr i'r llall. "Ydych chi'n barod?" gwaeddodd Sara achos roedd hi'n mynd i chwibanu. Ac i ffwrdd â ni.

Mae rhaid i ti ochrgamu, fel petait ti mewn gêm bêl-rwyd. Fi yw'r orau am bêl-rwyd, felly cyn pen chwinc roedd Mel yn disgyn i ganol y rhosynnau. Ni sy'n ennill bob amser. Mae'n hawdd fel baw. Neu hawdd fel Aw! os wyt ti'n disgyn ar ddraenen. Jôc dda?

I ddechrau fe chwaraeon ni'r gorau o dair gêm, ond fe gwynodd y tîm arall gymaint nes oedd rhaid i ni chwarae y gorau o bump. Yn y diwedd fe chwaraeon ni'r gorau o un deg pump, ond fi a Sam enillodd wedyn. Ha-Hawdd! Ar y diwedd fe ddaliais i Mel a'i gwthio yn erbyn y ffens. Dechreuodd Ffi a Sam reslo. Dydych chi ddim i fod i reslo, ond roedden ni wedi ennill erbyn hynny, felly doedd dim ots. Lwcus bod y ffens yno, achos fe gollodd y ddwy eu balans a chydio ynddi.

Ond wedyn fe gydion nhw'n dynnach. Roedd rhywbeth diddorol iawn yn digwydd yr ochr draw i'r ffens ac roedden nhw'n gwrthod symud.

"Wnei di ollwng dy afael a disgyn?" gwaeddodd Mel ar Ffi.

"Bydda i'n gadael i ti gwympo, os na symudi di," dwedais i wrth Sam.

Ond roedden nhw'n gwrthod cymryd sylw, felly fe daflon ni'r ddwy i'r gwely blodau. Roedd y ddwy'n chwerthin cymaint, allen nhw ddim siarad.

Yna daeth wyneb dyn i'r golwg dros y ffens. Roedd e'n wyneb cynddeiriog.

"Ffion, wnaeth dy fam ddim dweud wrthot ti mai pobl anghwrtais iawn sy'n busnesu a syllu ar eu cymdogion yn eu gerddi preifat?"

Syllodd Ffi ar ei thraed a mwmian, "Mae'n ddrwg 'da fi."

Roedd Sam bron â gwlychu'i hunan.

"Wel, bydd rhaid i fi siarad â hi am hyn ac am y sŵn aflafar sy'n dod dros y ffens. Rydych chi fel haid o anifeiliaid gwylltion."

Ac yna diflannodd wyneb y dyn ac fe redon ni i'r tŷ fel . . . wel, fel haid o anifeiliaid gwylltion.

PENNOD CHWECH

Allen ni ddim aros nes cyrraedd stafell Ffi. Roedden ni bron â marw eisiau chwerthin. Rholion ni ar y gwely gan sgrechian dros y lle.

"Busnesu a syllu!"

"Rhag eich cywilydd chi'n busnesu a syllu!"

"Rydych chi mor ddifaners!"

"Beth ydych chi, haid o anifeiliaid gwylltion?"

"Mae e mor od," meddai Sam.

"Pam? Beth oedd e'n wneud?" gofynnais.

"Dim syniad," meddai Sam, "ond beth bynnag oedd e'n wneud, roedd e'n edrych mor stiwpid."

"Roedd e yn ei byjamas," meddai Ffi, "ac yn symud ei freichiau a'i goesau mewn ffordd hollol od."

"Fel hyn," meddai Sam, a dechreuodd hi symud fel robot.

Wedyn fe glywson ni gloch drws y ffrynt yn canu ac fe wthion ni'n pennau i'n gobenyddion a sgrechian yn dawel. Y peth nesa glywson oedd sŵn traed mam Ffi yn dod i'r llofft. Tawelodd pawb ar unwaith, heblaw am Sam. Unwaith mae Sam yn dechrau, mae'n amhosib iddi stopio. Ac erbyn hyn roedd yr ig ar Mel, fel arfer. Felly dihangodd y ddwy i'r stafell 'molchi ar ras.

Roedd mam Ffi yn ysgwyd ei phen ac roedd golwg eitha gofidus arni. Roedd pawb yn teimlo'n euog iawn, pan welson ni ei hwyneb hi.

"Mae Mr Cecil-Jones newydd ddod draw i gwyno eich bod chi'n chwerthin am ei ben pan oedd e'n gwneud Tai Chi."

"Tai Chi?" meddai Ffi. "Beth yw hwnnw?"

"Rhyw fath o ymarfer corff neu symudiadau. O Tseina mae e'n dod, dwi'n meddwl. Dwi ddim yn gwybod chwaith, ond yn ôl Mr Cecil-Jones mae rhaid cadw'n dawel a chanolbwyntio ac fe wnaethoch chi ferched sarnu popeth. Ffordd o ymlacio yw Tai Chi."

"Dyna pam oedd e'n gwisgo pyjamas?" gofynnodd Ffi.

"Does gyda fi ddim syniad, ond dwi wedi ymddiheuro a fory, Ffion, gwell i ti fynd draw i ymddiheuro hefyd. Dwi wedi dweud wrthot ti o'r blaen am beidio poeni'r cymdogion."

Edrych ar ei thraed wnaeth Ffi a thynnu wyneb. Feiddiwn i ddim edrych ar Sara, rhag ofn y byddwn i'n dechrau eto. Roedd Sara'n sugno'i bawd. Doeddwn i 'rioed wedi ei gweld hi'n sugno'i bawd o'r blaen, ond dwedodd hi wedyn mai dyna'r unig ffordd y gallai hi stopio chwerthin.

"Gwell i chi baratoi i fynd i'r gwely nawr."

"O, Mam, dyw hi ddim yn hwyr," meddai Ffi.

"Mae wedi naw ac os ydw i'n eich nabod chi, fyddwch chi ddim yn y gwely tan wedi deg. Felly gwell i chi ddechrau paratoi nawr."

Roedd mam Ffi yn iawn. *Roedd* hi wedi deg cyn i ni fynd i'r gwely, achos roedden ni'n chwarae dwli. Gartre dwi'n paratoi i fynd i'r gwely mewn pedair munud ar ei ben. Dwi wedi amseru fy hunan.

Dechrau . . . nawr! Tynnu dillad . . . tri deg eiliad.

Gwisgo pyjamas a mynd i'r stafell 'molchi . . . un funud wedi mynd.

Gwlychu'r wlanen, llyfiad i'r wyneb a'r dwylo . . . tri deg eiliad arall. Os oes rhaid i ti ddefnyddio sebon, fe gymerith funud.

Wedyn y darn ara: glanhau dannedd. Tynnu'r cap, gwasgu a brwsio, brwsio, brwsio, brwsio, brwsio, top a gwaelod. Garglio, garglio, poeri'n gyflym, sychu ceg . . . munud arall wedi mynd.

Wedyn neidio ar y toiled . . . tri deg eiliad neu funud—mae'n dibynnu, ti'n gwybod be dwi'n feddwl?

Rhedeg yn ôl a neidio i mewn i'r gwely. Pedair munud ar ei ben!

Pan fydd y clwb yn cyfarfod, mae'n cymryd mwy o amser. Tynnu dillad, i ddechrau. Rydyn ni wastad yn tynnu'n dillad yn ein sachau cysgu. Mae'n *bosib* gwneud hynny mewn dwy funud, neu ychydig mwy i fi falle achos mae fy nghoesau a 'mreichiau mor hir maen nhw'n llanw'r sach. Ond rydyn ni fel arfer yn cymryd mwy o amser, o achos y

46

stripio dirgel. Rydyn ni'n swatio o'r golwg yn ein sachau ac yna'n tynnu ein dillad ac yn eu taflu at ein gilydd, yn enwedig ein sanau drewllyd. Mae'n hwyl!

Rydyn ni hefyd yn ciwio am y bathrwm am oesoedd ac yn dadlau pwy sy nesa ac yn cuddio y tu ôl i'r drws er mwyn bwrw'r diwetha i gyrraedd y stafell wely gyda stwnshi-pwnsh.

Roedd Ffi yn ei gwely, Mel yn y gwely sbâr, a Sara a Sam a fi rhyngddyn nhw mewn rhes ar y llawr yn ein sachau cysgu. Roedd popeth yn gweithio'n iawn cyhyd â bod y ddwy yn y gwely ddim yn codi a sefyll ar ein pennau, a chyhyd â'n bod ni'n tair ar y llawr ddim yn troi a gwasgu'n gilydd.

Daeth mam Ffi i dweud nos da. "Oes digon o le gyda chi i gyd?"

"Oes. Pawb yn iawn," dwedon ni.

"Fel bỳg mewn rỳg," meddai Sam.

"Mae'n ofnadwy o hwyr. Gobeithio na fydda i'n cael helynt gan eich mamau chi," meddai.

"Peidiwch â phoeni, Mrs Sidebotham. Dwi

byth yn cysgu'n gynnar gartre," dwedais. "Deryn y nos ydw i."

"Cwcw wyt ti," meddai Sam. Rhois i hergwd iddi.

"Setlwch lawr nawr, ferched," meddai mam Ffi. Mae hi bob amser yn edrych yn ofidus, felly fe dawelon ni. Diffoddodd hi'r golau a chaeodd y drws. Gorweddon ni'n dawel a rhifo'n araf o un i ddau ddeg. Pan oedden ni'n siŵr ei bod hi wedi mynd, tynnodd pawb dortsh mas.

"Iawn," meddai Sara. "Be nesa?"

"Ydy hi'n bryd i ni fwyta?" meddai Sam. "Dwi'n clemio."

"Newydd fynd i'r gwely ydyn ni," meddai Ffi. "Dewch i chwarae gêm gynta. Neu ddweud stori."

"Ond dwi bron â marw eisiau bwyd," meddai Sam.

"A fi," dwedais.

"A fi hefyd," meddai Sara.

Ddwedodd Mel ddim gair. Roedd hi'n dawel, yn hollol wahanol i arfer. Ond fe gollodd Ffi'r bleidlais, dyna'r peth pwysica.

Estynnon ni ein bocsys bwyd a'u pasio o un

i'r llall. Cymeron ni ddarn allan o bob un. Wel, fe wnes i, Sara a Sam. Gwrthododd Ffi ddarn o pitsa, cododd ei thrwyn ar y fflapjac a chymerodd hanner bisgeden gaws.

Roedd Mel yn mynd i gymryd darn, pan welodd hi Ffi'n ei gwylio. Ysgydwodd ei phen.

"Ble mae'r popgorn?" gofynnais.

Estynnodd Mel y bocs.

"Grêt," meddai Sam nes iddi weld y popgorn. "Does dim siwgr ar hwn!"

"Llai o galorïau," meddai Ffi.

Rhoddodd Sam y bocs yn ôl i Mel heb gymryd dim.

Wedyn estynnodd Ffi fowlen blastig. "Cymerwch lwyaid o'r pwdin lemwn. Mae'r rysáit yn dod o lyfr *Weight Watchers*. Dim ond dau ddeg pump calori sy mewn plataid."

"Mae blas Jif lemwn arno fe," meddai Sam. Crychodd ei hwyneb a buodd hi bron â'i boeri mas.

"Ti sy'n meddwl hynny," meddai Ffi, gan fwyta peth ohono ac yna'i estyn i Mel.

Estynnodd Mel e'n ôl. "Does dim chwant bwyd arna i."

Ro'n i'n clemio. Roedd Sam a fi wedi bwyta darn o pitsa *a* fflapjac *a* bisgeden gaws. Yn y diwedd fe fwyton ni beth o bopgorn sych Mel hefyd. Fwyton ni ddim Jif lemwn, diolch yn fawr. Doedd dim cymaint â hynna o chwant bwyd arnon ni.

Edrychais ar y ddau ddarn o pitsa oedd ar ôl yn y bocs, ond dim ond bolgi fyddai'n bwyta'r rheiny hefyd. Rhois i'r caead yn ôl ar y bocs rhag ofn i fi gael fy nhemtio.

"Faint o'r gloch yw hi?" gofynnodd Mel.

"Newydd droi un ar ddeg."

"Beth wnawn ni nawr?" gofynnais.

"Dwed stori, Ali," meddai Sara.

"Dim ond stori fer," meddai Mel. "Dwi wedi blino'n lân."

"Stori iasoer," meddai Sam.

"O na, nid stori iasoer," meddai Ffi. Doedd hi ddim wedi dod dros yr halibalŵ gawson ni ar noson pen-blwydd Mel, pan siaradon ni ag ysbrydion a chael anferth o fraw.

"Dwi'n gwybod be wnawn ni," meddai Sam. "Dweud jôcs. Fi gynta, achos mae gyda fi un dda. Pam oedd peswch y claf yn well erbyn y bore? Achos roedd e wedi ymarfer drwy'r nos."

"Beth ydych chi'n wneud os ydy Taid yn sâl?" meddai Sara. "Ffonio Nain, Nain, Nain."

"Fi nesa," dwedais. "Cnoc cnoc."

"Pwy sy 'na?"

"Ali."

"Ali pwy?'

"A licech chi agor y drws?"

Ochneidiodd pawb, ond mae gen i ddwsinau o rai fel'na.

"Cnoc cnoc."

"Pwy sy 'na?"

"Ceri."

"Ceri pwy?"

"Cer i gysgu."

PENNOD SAITH

Byddwn i wedi dal 'mlaen am oriau, ond fe glywson ni sŵn traed mam Ffi. Diffoddodd pob un ei thortsh, caeon ni'n llygaid ac esgus cysgu. Roedd Sam yn anadlu'n drwm ac fe ddechreuodd pawb giglan.

"'Rargol, ydych chi'n dal ar ddihun?" sibrydodd. "Wnewch chi byth ddihuno fory ac fe ga i helynt gan eich mamau. Gwnewch eich gorau i setlo lawr a mynd i gysgu nawr, dyna ferched da."

Yna fe aeth hi allan a chau'r drws. Ond doedden ni ddim wedi canu ein cân-cyn-cysgu eto, felly eisteddon ni lan yn ngolau tortsh a chanu'n dawel bach. Sibrwd oedden ni bron iawn. Fi ddechreuodd:

"Ble mae Ali? Ble mae Ali?

Dyma fi. Dyma fi.

Shwd mae heno? Da iawn, diolch.

I ffwrdd â fi. I ffwrdd â fi."

Ymunodd y lleill, un ar ôl y llall, ac yna swatio o dan y dillad. Roedd pawb wedi blino heblaw amdana i. Doedd dim tamaid o chwant cysgu arna i. Ro'n i'n gallu clywed Mel yn sugno'i bawd, Ffi yn sniffian a Sara'n troi a throsi i wneud ei hunan yn gyfforddus. Ond allwn i ddim setlo.

Roedd eisiau bwyd arna i erbyn hyn. Ro'n i wedi bwyta'n go dda, dwi'n gwybod, ond ro'n i fel llygoden fach lwyd mewn twll eisiau bwyd. Roedd gyda fi gornel fach heb ei llanw. Petai 'na ddim gwynt pitsa blasus o dan fy nhrwyn, byddai popeth yn iawn. Ond roedd y ddau ddarn o pitsa'n gweiddi am gael eu bwyta.

Paid ag edrych arna i fel'na. Dwi ddim yn falch o beth wnes i, ond allwn i ddim help. A *fi* oedd piau nhw mewn ffordd. Wedi'r cyfan, fi wnaeth nhw. Ta beth, fe fwytais i nhw.

Clywais i'r cloc yn taro canol nos ac o'r diwedd es i gysgu.

Ocê, gad i ni eistedd fan hyn ar y fainc i fi gael gorffen y stori cyn cyrraedd tŷ Sam, neu bydd hi'n siŵr o roi ei phig i mewn a sarnu popeth. Ac os yw'r lleill yno, fe fyddan nhw'n gwneud 'run fath.

Pan ddihunais i, roedd hi'n dal yn dywyll, felly am funud doeddwn i ddim yn siŵr a o'n i wedi cysgu o gwbl. Roedd llaw Mel ar fy ysgwydd ac roedd hi'n sibrwd. "Ali, wyt ti ar ddihun?"

Wedyn sylweddolais 'mod i wedi cysgu, ond ddim am hir. Doedd hi ddim yn fore eto. Roedd hi'n dechrau goleuo, ond roedd pobman yn dawel, felly rhaid ei bod hi'n gynnar iawn. Trois ati a rhwbio fy llygaid.

"Dwi eisiau bwyd," meddai. "Alla i gael fy narn i o'r pitsa nawr?"

Ro'n i'n falch fod Mel wedi dod at ei choed ac yn barod i fwyta, ond nawr ro'n i'n teimlo mor euog. Ro'n i wedi bwyta'r ddau ddarn o bitsa, y bolgi a fi.

"Mae e i gyd wedi mynd," sibrydais. "Mae'n ddrwg 'da fi." Ro'n i yn teimlo'n euog.

"Mynd i le?" sibrydodd hi'n ôl.

Doeddwn i ddim eisiau sôn am hynny, felly dwedais, "Cymer ddarn o fflapjac." Estynnais fy llaw y tu ôl i ben Sam a gafael yn y bocs plastig. Roedd e'n syndod o ysgafn.

Ie, rwyt ti'n iawn. Roedd y mochyn bach wedi bwyta'r fflapjac oedd ar ôl.

"O, na!" meddai Mel, pan ddangosais i'r bocs. "Dwi'n clemio."

Erbyn hyn ro'n i'n gwbl effro ac yn teimlo y dylwn i wneud rhywbeth i helpu, ond doedd gen i ddim syniad beth. Rholiais i gyfeiriad Sam a sibrwd yn ei chlust, "Mae Mel yn clemio, pasia'r neges."

"Be sy'n bod arnat ti, fenyw wallgo?" meddai Sam, fel petai hi'n dal mewn breuddwyd.

"Dy fai di yw e. Ti fwytodd y fflapjac, y mochyn bach," sibrydais. "Nawr pasia'r neges."

Felly rholiodd Sam i ffwrdd, ysgydwodd hi Sara a sibrwd, "Mae Mel yn llwgu. Pasia'r neges."

Rhwbiodd Sara ei llygaid a sibrwd, "Faint o'r gloch ydy hi?"

"Paid â phoeni am hynny," hisiodd Sam. "Dere â'r bisgedi caws."

Aeth wyneb Sara'n binc. Alla i ddim credu hyn, meddyliais, ond roedd rhaid i fi.

"Bwytais i nhw," sibrydodd.

"Alla i ddim credu hyn!" meddai Sam. Trodd a sibrwd wrtha i, "Bwytodd hi nhw!"

"Wel, dwed wrthi am basio'r neges," sibrydais i'n ôl.

Felly cododd Sara ar ei phen-gliniau ac ysgwyd Ffi. "Mae Mel yn marw o newyn."

Ochneidiodd Ffi a throi at y wal, ond ysgydwodd Sara hi nes iddi godi ar ei heistedd.

"All hi ddim bwyta'r bwyd sy ar ôl?" chwyrnodd Ffi.

"Does dim ar ôl," dwedais. "A na, dyw hi ddim eisiau Jif lemwn i frecwast."

Erbyn hyn roedd pawb yn gwbl effro.

"Faint o'r gloch yw hi?" meddai Ffi.

Goleuais i'r tortsh ac edrychais ar fy wats. "Hanner awr wedi pedwar."

"Hanner awr wedi pedwar! Alla i ddim dihuno Mam nawr."

"Alli di ddim nôl rhywbeth i fi o'r ffridj?" meddai Mel.

"O, bydd ddistaw! Dwi ddim yn forwyn fach i ti." Fe ddweda i hyn am Ffi, mae hi bob amser yn rwgnachlyd pan fydd hi'n dihuno.

"Nid fy mai i yw e os oes eisiau bwyd arnat ti."

"Wel, ie, dy fai di yw e," dwedais.

"Pam wyt ti'n dweud hynny?"

"Ti ddechreuodd sôn am yr hen ddeiet dwl 'ma. Oni bai amdanat ti, byddai Mel wedi cael y pitsa a'r fflapjac a'r bisgedi caws pan oedd rhai ar ôl. A fyddai hi ddim yn clemio nawr."

"Wel, ble maen nhw? Pwy sy wedi'u bwyta nhw?"

Cododd Sara, Sam a fi ein dwylo fel petaen ni yn yr ysgol.

"Y moch!" meddai Ffi.

Rhochiodd pawb mewn côr.

"Wel, oes eisiau bwyd arnat ti, 'te? Chest *ti* ddim llawer chwaith," meddai Mel.

Cochodd Ffi. "Tipyn bach."

"Mae pob un ohonon ni eisiau bwyd," meddai Sara.

"Bwydwch fi *nawr*," meddai Sam.

Cododd Ffi o'r gwely. "Ocê, ond peidiwch â chadw sŵn. Os dihunwn ni Mam ac Andy, bydd 'na helynt. Dewch."

Felly aeth pawb ar flaenau eu traed i lawr stâr ac i mewn i'r gegin.

Dyna'r tro cyntaf i Sara weld cegin Ffi. Roedd hi wedi rhyfeddu. "Am gegin ffantastig!" meddai. "Mae hi mor newydd . . . a glân . . . a modern! Dylech chi weld ein cegin ni. Mae'n edrych fel rhywbeth allan o'r Canol Oesoedd. Byddai Mam wrth ei bodd efo hon. Rwyt ti mor lwcus."

Nawr does dim yn well gan Ffi na chlywed rhywun yn dweud pethau fel'na.

"Dyw hi ddim yn newydd," meddai. "Mae hi gyda ni ers oesoedd."

"O, sbïa! Mae gen ti haearn wafflau."

Y gwir yw, mae mam Ffi yn dwlu ar bob math o beiriannau a phob tro rydyn ni'n mynd i'r tŷ, mae gyda hi rhyw declyn newydd. Mae pob teclyn dan haul yn nhŷ Ffi.

"O, gawn ni wneud wafflau?" meddai Sara'n daer. "Plîs! Maen nhw mor iymi."

Nawr ro'n i'n disgwyl i Ffi fynd yn syth at yr oergell i nôl iogwrt neu wneud brechdan neu rywbeth. Dim peryg! Roedd Ffi'n benderfynol o wneud argraff ar bawb, yn enwedig Sara. Gwisgodd ffedog ei mam a dweud, "Nawr 'te, beth mae pawb eisiau?" Yn union fel petai hi'n cymryd archeb yn McDonald's.

"Uwd."

"Tost."

"*Milkshake*."

"Iawn," meddai.

"Wyt ti'n mynd i wneud popeth?" meddai Mel.

"Ydw, siŵr."

"O ddifri?" meddai Sara. "Ydy dy fam yn fodlon?"

"Ydy," meddai Ffi. "Mae Mam yn fodlon i fi wneud beth fynna i yn y gegin."

"Hyd yn oed wafflau?" gofynnais yn amheus.

"We-el, mae'r haearn wafflau'n newydd. Dwi ddim yn siŵr."

"Galla i wneud wafflau," meddai Sam. "Mae gan Anti Gwen un."

"Galla i wneud y tost," meddai Mel. "Ble mae'r bara?"

"Mi wna i'r ddiod," meddai Sara.

Cyn bo hir roedden nhw'n gwibio ar draws y gegin, yn agor cypyrddau, mewn a mas o'r oergell. Eisteddais i ar stôl uchel yn gwylio. A dweud y gwir ro'n i'n teimlo braidd yn sâl.

Ddim yn sâl iawn, ond ychydig bach yn iych. Ond sylwodd yr hen Bosi-bŵts arna i.

"Paid ag eistedd fan'na, Ali," meddai. "Gosoda'r ford."

"Ocê." Llithrais i lawr o'r stôl a dechrau chwilio am y matiau bord, y cyllyll a ffyrc, y sôs tomato ac unrhyw beth handi. Os oedden ni'n mynd i gael parti, 'run man iddo fod yn barti da.

Roedd Nia'r Urdd wedi dysgu i ni unwaith sut i osod bord a gwneud addurniadau bord. Ces i afael ar ganwyllbrennau ac es i chwilio am rywbeth arall defnyddiol. Roedd yn well peidio gofyn i Ffi. Roedd pawb arall yn saethu cwestiynau ati.

"Ble mae'r halen?"

"Ga i ddefnyddio'r bananas?"

"Oes 'na ragor o laeth?"

"Oes gyda ti fara sleis?"

"Dwi ddim yn gwbod," meddai Ffi'n sarrug. "Rhaid i chi chwilio. Alla i ddim gwneud popeth." Roedd hi'n gwylltio achos roedd hi wedi sarnu uwd sych dros y ford. Es i i helpu, ond dwedodd hi, "Dwi'n iawn. Dwi wedi gwneud hyn filoedd o weithiau, ti'n gwbod."

Es i draw i helpu Sara gyda'r ysgytlaeth. Gadawodd hi i fi dorri banana. Grêt! Ond dwedodd hi mai *hi* oedd yn mynd i gymysgu. Felly gwyliais i Mel yn trio dair gwaith i dorri tafell o fara. Roedd pob tafell yn edrych fel llethr sgïo ac roedd gyda hi ddigon o friwsion i stwffio matras.

"O, cer i ffwrdd, Ali! Dy fai di yw e. Rwyt ti'n gwneud i fi deimlo'n nerfus."

Felly gwyliais i Sam yn lle hynny. Roedd hi'n curo cymysgedd o wyau a llaeth mor gyflym, fe dasgodd y cyfan i'r awyr a thros y cwpwrdd.

"Gwylia!" gwaeddais.

"Gwylia di dy hunan," meddai. "Cer o'r ffordd, wnei di?"

"Llai o sŵn," sibrydodd Ffi ar ein traws. "Fe ddihunwch chi bawb."

Ar y gair fe glywson ni sŵn traed ar y grisiau. Stopiodd pawb goginio a chuddion ni'r bwyd y tu ôl i'n cefnau. Safon ni'n stond a rhewi yn y fan a'r lle wrth i fwlyn y drws droi. Roedden ni'n disgwyl gweld wyneb mam Ffi neu—gwaeth fyth—Andy. Roedden ni'n crafu'n pennau am esgusodion.

Ond pan agorodd y drws, Twm, brawd bach Ffi oedd yn sefyll yno. Y Pla mae Ffi'n ei alw. Roedd e'n rhwbio'i lygaid ac yn agor ei geg. "Beth ŷch chi'n wneud?" gofynnodd.

Ochneidiodd pawb mewn rhyddhad. Roedd y perygl gwaethaf drosodd. Cadw Twm yn dawel oedd ein hunig broblem.

PENNOD WYTH

Rhuthrodd Ffi ato. Llusgodd hi Twm i mewn i'r gegin a chau'r drws ar ei ôl. "Shh! Paid â chadw sŵn," hisiodd. "Dwyt ti ddim i fod codi ganol nos."

"Na ti chwaith."

"Fe gei di helynt, os clywith Mam ac Andy."

"A ti."

"Beth wyt ti eisiau, ta beth?"

Crwydrodd ei lygaid o gwmpas y gegin. "Dwi eisiau bwyd."

"Snap!" meddai Mel.

"Iawn, eistedda i lawr a phaid â symud," meddai Ffi. "Fe wnawn ni frecwast i ti, os wyt ti'n addo bod mor dawel â llygoden."

"Dyw Mam ddim yn hoffi llygod."

"O, doniol iawn," meddai Ffi yn flinedig.

"Eistedda fan'na a chadwa mas o'r ffordd."
Yna fe aeth hi'n ôl i baratoi'r uwd.

Eisteddais i gyferbyn â Twm a'i wylio.
Dwi'n aml yn meddwl yr hoffen i gael
chwaer, ond dwi erioed wedi bod eisiau
brawd, yn enwedig brawd bach fel Twm.

"Ar beth wyt ti'n syllu?" gofynnodd.

"Dim syniad," dwedais. "Rwyt ti wedi colli
dy label."

"Cer i moyn diod i fi," meddai. Ac fel ffŵl
fe es i.

Wedyn, gan fod pawb arall mor brysur yn
torri a malu a throi a sarnu pethau dros y lle ac
yn pallu gadael i fi helpu, penderfynais fynd
mas i'r ardd i gasglu blodau i'w rhoi ar y ford.

Es i at y drws cefn, ond doedd dim allwedd
yn y clo. Edrychais ym mhobman: ar fachyn
—dyna lle mae'r allwedd yn tŷ ni—ar silff,
mewn drôr, yn y stand ddillad. Ond doedd
dim sôn amdani. Felly es i'n ôl i'r gegin i ofyn
i Ffi.

Yn ystod yr ychydig eiliadau y bues i'n
chwilio roedd llanast wedi digwydd yn y
gegin. Roedd Mel wedi rhoi tafell dew o fara
yn y tostiwr. Roedd honno wedi mynd yn

sownd ac roedd mwg yn codi. Drwy lwc roedden ni wedi cael gwers ar ddiogelwch cartref gan Nia'r Urdd.

"Rhaid i ti droi'r tostiwr i ffwrdd!" gwichiodd Ffi.

"Yn y plwg!" gwichiodd pawb gyda'i gilydd.

"Dwi'n gwbod! Dwi'n gwbod!" gwichiodd hi'n ôl.

Ond roedd y mwg wedi deffro'r larwm tân. Dechreuodd hwnnw fflachio a gwichian.

"Ysgydwch bapur newydd o dan y larwm," meddai Ffi. "Glou, cyn i Mam ddihuno."

Roedd Ffi'n brysur yn gwylio'r uwd yn codi yn y meicrodon, felly cydiais i mewn cylchgrawn a'i ysgwyd yn yr awyr nes i'r larwm dawelu.

Am eiliad neu ddwy roedd pobman yn ddistaw. Ro'n i'n mynd i ofyn i Ffi ble oedd allwedd y drws cefn pan sgrechiodd Sam. Ro'n i wedi'i gwylio hi'n arllwys y cymysgedd i mewn i'r haearn wafflau ac wedi sylwi ei fod e'n denau iawn. Nawr roedd e'n rhedeg dros ymyl yr haearn, dros dop y cwpwrdd ac i lawr dros y drysau. Roedd y pwll bach ar y llawr wrth ei thraed yn dechrau troi'n afon.

"Edrych beth wyt ti wedi'i wneud!" gwichiodd Ffi. "Cer i moyn clwtyn a sycha fe."

"Ble ca i glwtyn?" meddai Sam.

"Dwi'n gwbod," dwedais gan ruthro at y sinc ar yr union foment y plygodd Ffi i nôl rhywbeth o'r cwrpwrdd. Fe drawon ni'n pennau yn erbyn ei gilydd.

"O, diolch yn fawr," gwaeddodd arna i.

"Damwain oedd hi," gwaeddais i'n ôl.

Ond doedd dim amser i boeni am rywbeth mor ddibwys â hollti'n pennau, achos erbyn hyn roedd uwd Ffi'n codi dros ymyl y fowlen ac yn byrlymu dros y meicrodon. Roedd yn fy atgoffa i o'r olygfa yn ffilm *Gremlins* pan gafodd un o'r gremlins ei roi yn y meicrodon. Iych-pych!

"O, na! 'Drycha beth wyt ti wedi'i wneud nawr!" sgrechiodd Ffi ar Sam.

"Fi? Wnes i ddim byd!" sgrechiodd Sam yn ôl.

Byddai rhyfel wedi cychwyn yn y fan a'r lle, oni bai bod trychineb arall wedi dod ar ein traws.

Roedd Sara'n cael hwyl yn torri pentwr o ffrwythau. Roedd hi wedi torri afalau, resins, cwpwl o gnau a ffeindiodd hi yn y cwpwrdd—pob ffrwyth o fewn cyrraedd, a dweud y gwir. Roedd hi newydd arllwys llond potel o laeth i mewn i'r peiriant hylifo ac roedd hi'n barod i wasgu'r swits. Roedd hi'n sniffian y cymysgedd a oedd yn edrych ac yn arogli'n hyfryd. Mi fyddai wedi blasu'n hyfryd hefyd, petai hi wedi bod yn ddigon call i roi'r clawr yn ddiogel ar y peiriant.

Yn anffodus, wnaeth hi ddim. Pan oedd Ffi a Sam yn gweiddi ar ei gilydd, hedfanodd y clawr i'r awyr a tharo drws yr oergell. Tasgodd y cymysgedd ar ei ôl ar gyflymder o bum deg milltir yr awr. Glaniodd y rhan fwyaf ohono ar Sara. Llifodd dros ei gwallt a'i hwyneb nes ei bod hithau'n edrych fel un o'r *Gremlins*.

"O, na! Beth wyt ti wedi'i wneud?" sgrechiodd Ffi ar Sara.

"Waw, rwyt ti'n mynd i gael helynt, pan welith Mam y gegin," meddai Twm. Roedd y sgwarnog bach yn wên o glust i glust.

"Ca' dy ben!" hisiodd Ffi. "Rhaid i chi glirio'r llanast *nawr*," gwaeddodd ar y gweddill ohonon ni.

Ro'n i newydd gynnig helpu Sam i glirio llanast y wafflau, ond fe wthiodd fi mas o'r ffordd. A nawr roedd Ffi'n rhoi pregeth i Sara, felly, meddyliais i, Ocê, dwi'n dianc. Fe gân' nhw glirio'u llanast eu hunain. Doeddwn i ddim wedi gwneud unrhyw lanast. Nid fy mai i oedd e.

Felly es i mas i'r cyntedd ac yn sydyn fe ges syniad gwych. Galla i fynd mas i'r ardd drwy'r drysau patio yn y lolfa, meddyliais. A dyna beth wnes i. A dyna pam nad oeddwn i yn y gegin pan gafodd Sam y ddamwain—ond alli di gredu hyn, maen nhw'n *dal* i roi'r bai arna i.

Fe glywais am y ddamwain wedyn o leia ddwsin o weithiau, felly fe alla i ddweud wrthot ti'n union beth ddigwyddodd. A falle bod Ffi'n iawn, fyddai'r ddamwain ddim wedi digwydd petawn i wedi aros yn y gegin.

Roedd y peiriant hylifo'n dal i boeri'r cymysgedd dros ben Sara, a'r uwd yn ffrwydro yn y meicrodon, a'r wafflau'n rhedeg i lawr y cypyrddau. Roedd Mel yn tostio'r ail ddarn o dost a—syrpreis, syrpreis!—aeth hwnnw'n sownd hefyd. Y tro hwn roedd y tostiwr yn mygu'n waeth nag erioed a neidiodd dwy fflam i'r awyr.

"Tro fe i ffwrdd!" gwichiodd Ffi eto.

"Yn y plwg!" gwaeddodd Sara a Sam.

Ond erbyn hyn roedd cymaint o fwg nes bod y larwm yn dal i wichian hyd yn oed pan oedd pawb yn ysgwyd papurau a chylchgronau yn yr awyr. Dyna pam ces i'r bai. Doedd neb arall yn ddigon tal i gyrraedd y larwm, felly roedd e'n gwichian ac yn fflachio heb stop.

"Rwyt ti wedi'i gwneud hi nawr," meddai Twm eto.

Wel, roedd Ffi bron â chael sterics. "Ca' dy ben!" gwaeddodd ar ei brawd. "Ca' dy ben, wnei di? O, plîs, all rhywun stopio'r larwm?" llefodd wrth y lleill.

Felly dyma Sam yn neidio ar un o'r stolion ac yn ymosod arno gyda chylchgrawn.

"Ha!" chwyrnodd, gan ymosod yn wyllt. "Yr hen sgrech a ti! Fe ladda i di nawr."

"O, paid â chwarae dwli, Sam," meddai Mel.

"Mae hi'n mynd i syrthio mewn munud," meddai Sara.

"O, ble mae Ali, er mwyn popeth?" gwaeddodd Ffi.

PENNOD NAW

Cwestiwn da! Y foment honno, ar ôl ffidlan â'r allwedd am sbel, llwyddais i agor y drysau patio. Camgymeriad *enfawr*! A dyna'r ail reswm pam y ces i'r bai am bopeth, er nad oeddwn i ddim yno.

Yn sydyn cododd sŵn dychrynllyd a bues i bron â chael ffit farwol. Na, nid y larwm tân oedd e. Roedd hwnnw'n dawel a melys o'i gymharu â'r twrw diweddara. Y larwm lladron oedd hwn. Fi oedd wedi'i ddeffro pan agorais i'r drysau patio.

Doedd gen i ddim syniad beth i'w wneud. Caeais i'r drws, ond wnaeth hynny ddim gwahaniaeth. Roedd y larwm yn dal i ruo.

Beth fyddet ti wedi'i wneud, dwêd? Doeddwn i ddim yn siŵr p'un ai cau'r drws, cripian yn ôl i'r gegin ac esgus mai nid arna i oedd y bai, neu ruthro mas i'r ardd a chwilio am rywle i guddio. Felly fan'ny oeddwn i yn y drws, gydag un droed mas ac un droed i mewn, fel lleidr wedi'i ddal ar ganol lladrad.

Yn y gegin roedd pethau'n waeth fyth. Falle bod sŵn y larwm lladron wedi dychryn Sam. Ta beth, dyma hi'n swingio'r cylchgrawn at y larwm tân ac yn cwympo o ben y stôl. Rhedodd Mel i geisio'i dal hi, ond methodd, a disgynnodd y ddwy yn un pentwr ar y llawr— ar ben braich Sam.

Erbyn hyn roedd pawb bron â drysu. Roedden nhw'n gallu clywed y larwm lladron yn rhuo a hefyd sŵn mam Ffi ac Andy yn codi o'r gwely.

"O-o!" meddai Twm gan lyfu'i wefusau. "Trwbwl."

Safodd Ffi yng nghanol y gegin â'r fowlen uwd yn ei llaw ac edrychodd o'i chwmpas. Roedd rhywbeth yn llosgi, ond nid y tostiwr oedd e. Yr haearn wafflau oedd ar dân y tro hwn. Pan agorodd Sara'r haearn, neidiodd pedair waffl rwber mas.

Roedd dwy dafell dew o dost yn mygu ar

ben y cwpwrdd yn barod. Roedden nhw mor ddu, gallet ti fod wedi chwarae pêl-droed â nhw.

"Be dwi'n mynd i wneud?" snwffiodd Ffi. "Byddan nhw'n holics."

Roedd Mel yn helpu Sam i godi. Erbyn hyn roedd hi wedi sylweddoli bod rhywbeth mawr o'i le. Roedd braich Sam yn boenus iawn. Roedd Ffi wedi drysu'n lân a doedd Twm ddim tamaid o help. Felly dim ond Sara oedd ar ôl. Drwy lwc fe gymerodd hi drosodd.

Cydiodd yn y wafflau rwber a'r tost du, taflodd nhw i'r fowlen uwd a rhedodd o'r gegin. Cwrddais i â hi yn y cyntedd.

"Ble wyt ti'n mynd?" gofynnais.

"Brysia," meddai. "Rhaid i ni gael gwared o'r dystiolaeth."

"Dere i'r ardd," dwedais. "Ffordd hyn." Ac es i â hi drwy'r drysau patio. Roedd y sŵn yn waeth fyth y tu allan.

"Be sy'n digwydd?" gwaeddais.

"Mae rhywun wedi deffro'r larwm lladron," gwaeddodd hi'n ôl.

Roedden ni'n edrych mor ddoniol yn sefyll fan'ny yn ein pyjamas yn gweiddi ar ein gilydd dros fowlen o fwyd wedi llosgi. Ond yn sydyn gwelson ni Andy a mam Ffi drwy ffenest y gegin, felly sleifion ni o'r golwg rownd y gornel.

"Be wnawn ni â hwn?" meddai Sara gan ddangos y fowlen.

Nawr, petaen ni'n gall, fe fydden ni wedi taflu'r cyfan i'r bin sbwriel, ond roedd y bin yr ochr arall i'r tŷ a feiddien ni ddim cerdded heibio'r ffenestri rhag ofn i rywun ein gweld. A tha beth, am hanner awr wedi pump yn y bore doeddwn i ddim yn teimlo'n gall iawn.

"O Ali, be wnawn ni â'r fowlen?" meddai Sara eto.

Pam mae pobl bob amser yn gofyn i fi am syniadau?

Ie, ie, dwi'n gwybod. Achos mai fi sy bob amser yn eu cael nhw.

Roedden ni'n sefyll yn ymyl ffens drws nesa, felly, heb feddwl dim, fe daflais i'r ddwy dafell o dost du dros y ffens i mewn i ardd y Crincod a thaflais y wafflau ar eu hôl.

"Be wyt ti'n wneud?" sgrechiodd Sara. Gwenais yn hapus. Ro'n i'n meddwl ei fod e'n syniad grêt.

Nawr dim ond llond bowlen o uwd oedd ar ôl. Nid uwd cyffredin oedd hwn, nid y math o uwd sy'n llifo o'r sosban. Uwd-sment arbennig Ffi oedd hwn. Byddai'n rhaid defnyddio cyllell a fforc i fwyta hwn. Trois i'r fowlen wyneb i waered a chwympodd pêl galed o uwd ar y lawnt.

Am eiliad syllodd Sara arno. Yna fe ddechreuodd hi wenu hefyd. Cododd hi'r bêl a'i hyrddio dros y clawdd ar ôl y tost a'r wafflau.

Yn sydyn sylweddolon ni fod pobman yn dawel. Roedd rhywun wedi diffodd y larwm.

Ro'n i'n dal i gydio yn y fowlen, pan ddaeth mam Ffi drwy'r drysau patio.

"Dewch i mewn ar unwaith!" galwodd. "Byddwch chi'n marw o oerfel."

A dyna'r tro cynta i ni sylwi pa mor oer oedd hi.

Pan aethon ni i mewn i'r gegin, roedd y lle'n gawl potsh. Doedden ni ddim wedi cael gwared o'r dystiolaeth i gyd wedi'r cyfan. Ond doedd neb yn poeni llawer am y llanast. Roedden nhw'n poeni mwy am Sam.

Roedd golwg lwydaidd ryfedd ar wyneb Sam druan erbyn i ni gyrraedd y tŷ. Rhwymodd Andy ei braich cyn mynd â hi i'r ysbyty. Allwn i ddim deall y peth. Sut gallai unrhyw un dorri ei braich wrth wneud wafflau? Ond fe ges i'r stori i gyd gan Sara pan oedden ni'n eistedd yn yr Adran Ddamweiniau, yn aros i Sam gael plastr ar ei braich.

Roedd Ffi a'i mam a Mel wedi aros gartre i ofalu am Twm ac i lanhau'r llanast. Aeth Andy â fi a Sara gydag e i Ysbyty Treforys, achos dim ond chwech o'r gloch oedd hi ac roedd hynny'n rhy gynnar i fynd â ni adre ar fore dydd Sul.

Allwn i ddim credu fod cymaint o bethau wedi digwydd mewn awr. Roedden ni'n dawel fel llygod yn y car. Pan alwodd y nyrs enw Sam, aeth Andy i mewn gyda hi i gael pelydr X, achos doedd ei mam a'i thad ddim wedi cyrraedd eto. Felly fe gafodd Sara gyfle i ddweud wrtha i beth oedd wedi digwydd pan o'n i wrthi'n torri mas o dŷ Ffi.

"Ond pam oeddet ti isio mynd allan a deffro'r larwm yn y lle cynta?" meddai Sara.

"Er mwyn casglu blodau," dwedais.

On'd oedd e'n esgus pathetig? Sylweddolais i hynny cyn gynted ag i fi agor fy ngheg. Roedd hi'n hanner awr wedi wyth erbyn i ni gyrraedd adre o'r ysbyty. Roedd mam a thad Sam wedi mynd â hi adre ac roedd hi'n iawn. Roedd hi wedi mwynhau pob munud. Mae Sam yn dwlu ar ysbytai. Mae hi mor od. Roedd hi wedi gwneud dolur i'w braich o'r blaen, ond doedd hi erioed wedi cael plastr, felly roedd hi wedi gwirioni. Allai hi ddim aros nes cyrraedd yr ysgol a chael pawb i'w arwyddo.

Roedden ni i gyd mor falch fod y cyfan drosodd. Gan fod pawb yn poeni cymaint am Sam, doedden ni ddim wedi cael pregeth eto . . . hyd nes i ni gyrraedd tŷ Ffi! Pan welson ni'r olwg ar wyneb mam Ffi, roedden ni'n gwybod beth oedd o'n blaenau ni. Waw, roedd hi'n grac!

Roedden ni wedi cael hwyl gydag Andy ar y ffordd adre yn y car. Yn ôl Andy, dylen ni fod yn sêr y teledu ac roedd e'n meddwl am raglenni newydd sbon ar ein cyfer ni: *Caffi Sâl i Mali, Coginio gyda Dwli* a phethau doniol fel'na. Felly roedd pawb yn gwenu pan aethon ni i mewn i'r tŷ.

Gwnaeth Ffi ei gorau i'n rhybuddio ni. Chwifiodd ei dwylo'n nerfus y tu ôl i gefn ei mam a oedd yn sefyll yn nrws y gegin, ei breichiau wedi'u plethu a golwg ffyrnig iawn ar ei hwyneb. Roedden nhw wedi gweithio'n galed achos roedd y gegin mor lân ag erioed. Roedd yn dwt ac yn daclus a'r cypyrddau lliw hufen yn disgleirio.

Yna fe symudodd a gwnaeth arwydd arnon ni i ddilyn. Dim ond un peth oedd yn sarnu golwg y gegin, a hambwrdd ar ben y cwpwrdd oedd hwnnw. Ar yr hambwrdd roedd dwy dafell fawr o dost wedi llosgi, pedair waffl rwber a phêl-droed uwd. Y tro diwetha y gwelson ni nhw roedden nhw'n sych, ond nawr roedden nhw'n wlyb sopen.

"Mae Mr Cecil-Jones newydd alw draw," meddai drwy'i dannedd. "Daeth â'r pethau 'ma gydag e. Tynnodd e nhw mas o'r pwll, fel dwi'n deall. Does gyda chi'ch ddwy ddim syniad sut y disgynnon nhw i'r pwll, oes e?"

Doedd dim amdani ond dweud y gwir. Fe gyfaddefon ni bopeth ac fe gawson ni bregeth hallt gan fam Ffi. Sam oedd fwya lwcus. Allai neb fod yn gas wrthi o achos ei braich. Ffi gafodd fwya o helynt, achos mae'n debyg nad yw hi ddim, ar unrhyw gyfri, i fod i goginio heb fod ei mam yn cadw llygad arni. Wel, roedd hynna'n newydd i ni! Dyw hi ddim yn cael coginio *byth eto*. Wel, dim nes bydd ei mam wedi anghofio, ta beth, a fydd hynny ddim am amser hir.

Wrth gwrs, pan glywodd rhieni pawb y stori, dyna ddwedon nhw i gyd, mwy neu lai, felly dyna ddiwedd ar y gystadleuaeth goginio.

Ond dyma'r newydd da—mae Mel wedi

anghofio'r deiet dwl. Roedd hi wedi cael hen ddigon ta beth a nawr mae mor llon ag erioed. Mae gwên ar ei hwyneb, mae ei phengliniau'n hapus ac mae pawb yn falch.

Mae Ffi wedi dysgu gwers hefyd. Dyw hi byth yn siarad am ddeiet nawr. Mae pawb yn gwneud yn siŵr o hynny. Pan fydd hi'n sôn am ddeiet, rydyn ni'n agor ein cegau a dweud ei bod yn bo-ring. Mae'r gwleddoedd ganol nos yn brìl unwaith eto ac mae cyfarfodydd y clwb mor cŵl ag erioed. Diolch byth!

Ar y dechrau fe ges i a Ffi ddadl anferthol pan driodd hi ddweud mai arna i oedd y bai am bopeth. Fi oedd wedi gwneud iddi deimlo'n euog, meddai hi, a dyna pam aeth hi â ni i lawr i'r gegin. A phetawn i ddim wedi gadael y gegin, byddwn i wedi gallu stopio'r larwm tân, a phetawn i yn y gegin gyda'r lleill, fyddwn i ddim wedi mynd i'r lolfa, deffro'r larwm lladron a dihuno'i mam ac Andy, a fydden ni ddim wedi cael ein dal.

Dyna'i stori hi. Dyma fy stori i: petai hi ddim wedi sôn am ddeiet wrth Mel, bydden ni i gyd wedi cael digon i'w fwyta, fyddai Mel ddim wedi clemio ganol nos a fydden ni ddim wedi mynd i'r gegin, fyddai Ffi ddim wedi dechrau dangos ei hunan ac esgus ei bod hi'n gallu coginio pob math o bethau, fydden ni ddim wedi gwneud llanast a fyddai Sara a fi ddim wedi gorfod cael gwared o'r dystiolaeth. Nawr rwyt ti wedi clywed y ddwy ochr. Galli di benderfynu. Iawn?

O 'drycha! Mae beic Mel o flaen tŷ Sam, felly mae hi yna. Fe gei di gwrdd â hi o'r diwedd. A falle cei di sgrifennu dy enw ar blastr Sam. Dim ond dy enw cofia, dim jôcs dwl. Mae hi wedi cael helynt am hynny'n barod. Gadawodd hi i Rhidian Scott sgrifennu ar y plastr yn yr ysgol. Rhybuddiais i hi. Ond fel 'na mae Sam. Mae hi'n hollol wallgo.

Dere, i mewn â ni. Dwi eisiau i ti gwrdd â phawb. Alla i ddim aros!